S0-AJG-779

可爱的鼠小弟 7

鼠小弟的生日

〔日〕中江嘉男／文　〔日〕上野纪子／图

赵静　文纪子／译

南海出版公司

送给鼠小弟的礼物
终于完成了！

今天是鼠小弟的生日。
我要把礼物包得漂漂亮亮的。

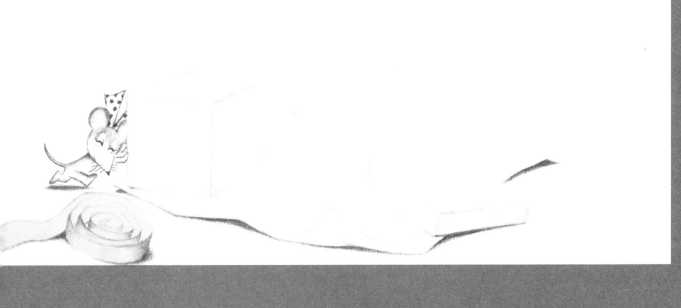

鼠小妹，你在干什么呢？

送给鼠小弟的礼物，我怎么也包不好！

我来帮你吧。

嗯，真的很难呀！

你们在干什么呢？

送给鼠小弟的礼物，
我们怎么也包不好！

我来帮你们吧。
嗯，真的很复杂呀！

你们在干什么呢？

送给鼠小弟的礼物，
我们怎么也包不好！

我来帮你们吧。
嗯，真的很费劲呀！

你们在干什么呢?

送给鼠小弟的礼物，
我们怎么也包不好！

我来帮你们吧。
嗯，真的很麻烦呀！

你们在干什么呢？

送给鼠小弟的礼物，
我们怎么也包不好！

我来帮你们吧。

嗯，真的不好包呀！

哇！终于包好了，鼠小
弟一定会很高兴的！

哦，真巧，鼠小弟来了！

鼠小弟，生日快乐！
　　瞧，这是鼠小妹送给你
的礼物！

图书在版编目(CIP)数据

鼠小弟的生日／〔日〕中江嘉男编文；〔日〕上野纪子
绘图；赵静，文纪子译. －海口：南海出版公司，2009.7
（可爱的鼠小弟）
ISBN 978-7-5442-4495-4

Ⅰ.鼠… Ⅱ.①中…②上…③赵…④文… Ⅲ.图画故事－
日本－现代 Ⅳ.I 313.85

中国版本图书馆 CIP 数据核字（2009）第 099409 号

NEZUMIKUN NO EHON SERIES 6 NEZUMIKUN NO TANJOBI
Text Copyright © 1978 by Yoshiwo Nakae
Illustrations Copyright © 1978 by Noriko Ueno
First published in Japan in 1978 by POPLAR Publishing Co., Ltd.
Published by arranged with POPLAR Publishing Co., Ltd.
All rights reserved